跟着古诗词去旅行

岭南风光篇

苏莫女/编著
蒋文婕/绘

SPM 南方出版传媒
全国优秀出版社 全国百佳图书出版单位 广东教育出版社
·广州·

图书在版编目（CIP）数据

跟着古诗词去旅行.岭南风光篇／苏莫女编著；蒋文婕绘．—
广州：广东教育出版社，2020.1
ISBN 978-7-5548-2813-7

Ⅰ.①跟…　Ⅱ.①苏…②蒋…　Ⅲ.①古典诗歌—诗集—中国
Ⅳ.①I222

中国版本图书馆CIP数据核字（2019）第087963号

责任编辑：郝琳琳　柴　瑶
责任技编：涂晓东
装帧设计：邓君豪

GENZHE GUSHICI QU LÜXING　LINGNAN FENGGUANG PIAN
跟着古诗词去旅行　岭南风光篇
广东教育出版社出版发行
（广州市环市东路472号12-15楼）
邮政编码：510075
网址：http://www.gjs.cn
广东新华发行集团股份有限公司经销
广州市岭美文化科技有限公司印刷
(广州市荔湾区花地大道南海南工商贸易区A幢)
889毫米×1194毫米　24开本　4印张　80 000字
2020年1月第1版　2020年1月第1次印刷
ISBN 978-7-5548-2813-7
定价：30.00元
质量监督电话：020-87613102　邮箱：gjs-quality@nfcb.com.cn
购书咨询电话：020-87615809

目录

广西广东 古代官员贬谪地

写在旅行前 002

旅行路线图 004

第一站：桂林市 006

寄杨五桂州谭 007

第二站：柳州市 014

柳州城西北隅种柑树 015

第三站：惠州市 022

惠州一绝 023

第四站：珠海市 030

过零丁洋 031

江西 用全世界的美好欢迎路过的诗意

写在旅行前 040
旅行路线图 042
第一站：南昌市 044
滕王阁（节选） 045
第二站：九江市 052
归园田居五首（其三） 053
望庐山瀑布 059
题西林壁 065
第三站：上饶市 072
清平乐·村居 073
第四站：抚州市 080
江行无题一百首（其九十八） 081

广西广东

古代官员贬谪地

写在旅行前

印象中的广西是旅游胜地，享有“桂林山水甲天下”的美誉，
迎来送往，门庭热闹；
广东作为改革开放示范区，其中有些城市早已跻身全国一线城市之列。
但在明代甚至是清代以前，
广东广西所在的岭南地区，是蛮夷之地、烟瘴之地，
官员多被贬谪至此。

自古悲愤出诗人。
贬谪者一般心怀大志，一朝被贬，
悲愤之下会产生各种不同的处世方法与人生哲学：
看淡尘事、超凡世外者有之，
如明朝时期杨慎被贬云南，路过荆门时，
在长江边表达心声道：“古今多少事，都付笑谈中”；
再如苏轼被贬海南，客居已久之后言：
“总角黎家三四童，口吹葱叶送迎翁。莫作天涯万里意，溪边自有舞雩风。”

悲愤交加、不能释怀、心底绝望者有之，
如柳宗元被贬永州，
写下“孤舟蓑笠翁，独钓寒江雪”，
其凄苦心境可见一斑。
当然，还有自嘲、苦中作乐、自我安慰、彼此安慰。

不管是何种心态，
对于贬谪地而言，这些都是天赐的福气。
被贬谪者入贬谪之地，带来先进的文化，革旧图新，
在贬谪之地把心情化作诗歌、化作艺术。
有了这些艺术的点缀，
这片荒夷之地渐渐有了色彩、有了生命、有了灵魂。

变化，大概是时间给人类的最大惊喜。

旅行路线图

惠州市
珠海市

第一站：桂林市

寄杨五桂州谭

唐 · 杜甫

五岭皆炎热，宜人独桂林。
梅花万里外，雪片一冬深。
闻此宽相忆，为邦复好音。
江边送孙楚，远附白头吟。

寄杨五桂州谭

唐·杜甫

五岭皆炎热，
宜人独桂林。

五岭的气候炎热难耐，
唯独桂林清爽宜人。

梅花万里外，
雪片一冬深。

更何况在雪花纷飞的隆冬时节，
万里之外梅花飘香。

闻此宽相忆，
为邦复好音。

友人在如此佳境，我的心也稍得宽慰，希望他能在风雨飘摇之际，努力报国，给乡邦带来佳音。

江边送孙楚，

远附白头吟。

我在岷江边送俊逸英才段参军乘舟远去，

就托他把这首《白头吟》转交给挚友吧。

描写梅花的古诗词

王安石的《梅花》：“墙角数枝梅，凌寒独自开。
遥知不是雪，为有暗香来。”

卢梅坡的《雪梅》：“梅须逊雪三分白，雪却输梅一段香。”

王冕的《墨梅》：“不要人夸好颜色，只留清气满乾坤。”

齐己的《早梅》：“前村深雪里，昨夜一枝开。”

林逋的《山园小梅二首（其一）》：“疏影横斜水清浅，暗香浮动月黄昏。”

陆游的《卜算子·咏梅》：“无意苦争春，一任群芳妒。
零落成泥碾作尘，只有香如故。”

桂林山水甲天下

桂林是著名的旅游城市，有着山水交融的绝美风景和壮观的喀斯特地貌景观，特色小吃也深受人们喜爱。

在桂林，可以走一走明清时期遗留的东西巷，逛一逛自然山水风光与历史人文景观交相辉映的独秀峰·王城景区，乘船游览“两江四湖”，爬爬象鼻山，再品尝正宗的桂林米粉、荔浦芋扣肉。

离市区稍远一些，可以去阳朔，坐竹排漂流，欣赏十里画廊的如诗如画；可以去龙脊梯田，看一次日出、等一次日落，或是听着淅淅沥沥的小雨洒向田间。

互动任务单

20元人民币上的风景图就是桂林山水，你找到对应的地点了吗？拍一张对比照吧。

第二站：柳州市

柳州城西北隅种柑树

唐 · 柳宗元

手种黄柑二百株，春来新叶遍城隅。
方同楚客怜皇树，不学荆州利木奴。
几岁开花闻喷雪，何人摘实见垂珠。
若教坐待成林日，滋味还堪养老夫。

柳州城西北隅种柑树

唐·柳宗元

手种黄柑二百株，
春来新叶遍城隅。

我亲手种植了二百株黄柑，
春天到来时枝叶青翠，
城西北角一片翠绿。

方同楚客怜皇树，
不学荆州利木奴。

我像屈原一样喜欢这柑树，
不学李衡把柑树看作奴仆来谋利。

几岁开花闻喷雪，
何人摘实见垂珠。

多少年才能闻到那像喷雪般的白花的香味，
又是谁摘下这些像垂珠般的果实呢？

若教坐待成林日，
滋味还堪养老夫。

如果让我等到柑树成林的那一天，
它的果实美味还能够让我这个老叟滋养受益。

柳宗元对柳州作出的贡献

《柳州城西北隅种柑树》是柳宗元任柳州刺史时所作，表达了他志向高洁的坚贞品质。柳宗元任柳州刺史仅有4年，但他为柳州的黎民百姓做了许多好事。

释放奴婢。当时柳州流传着一个习俗，欠钱不还则沦为奴婢，且终身为奴。针对这个残酷的习俗，柳宗元发布政令，沦为奴婢的人在为债主劳动期间，债主要按照劳动时间折算工钱。欠债者还清欠款后便恢复自由身。

兴办学堂。他修孔庙，开学堂，鼓励小孩积极念书。

开荒建设。当时柳州城外有着大片荒地，柳宗元组织闲散劳力，开垦荒地，种地种菜，带领人民走出饥饿和贫困。

柳侯公园

柳侯公园位于柳江北岸，为纪念柳宗元而建，内有柳侯祠、柳宗元衣冠墓、罗池、柑香亭等景点。

柳侯祠内有许多石刻，多为描述柳宗元生平及对柳州的贡献，具有一定的研究和欣赏价值。

柳宗元衣冠墓中埋着柳宗元穿过的衣物。

宁静的夜晚，清风徐来，月亮挂在天空，倒影在罗池池面，这便是柳州八景之一的“罗池夜月”。

柑香亭位于罗池不远处，因柳宗元曾在此种植黄柑而被人们熟知，柑香亭四周通达，掩映在树木花丛中，十分典雅。

互动任务单

和爸爸妈妈一起，种植一棵小植物吧！

第三站：惠州市

惠州一绝

北宋 · 苏轼

罗浮山下四时春，
卢橘杨梅次第新。
日啖荔枝三百颗，
不辞长作岭南人。

惠州一绝

北宋·苏轼

罗浮山下四时春，

罗浮山下四季如春，

卢橘杨梅次第新。

枇杷和杨梅每天都有新鲜的。

日啖（dàn）荔枝三百颗，

如果每天可以吃三百颗荔枝，

不辞长作岭南人。

我愿意永远做岭南人。

杨贵妃与荔枝

杨贵妃，是中国古代四大美女之一。在唐朝，杨贵妃可以说是集三千宠爱于一身，皇帝尽可能满足她的一切需求，她爱吃荔枝，当时岭南地区盛产荔枝且口味非常好，朝廷便每年都专门安排岭南地区进贡上好的荔枝供她享用。

但是，从荔枝的主要产地岭南到杨贵妃所在地长安，路途遥远，就算是现在坐飞机也要两个多小时，当时要怎样保持荔枝的新鲜呢？只能在运送期间，不断地换人换马，时刻保持最高速度，这样才能最大限度地缩短时间。即使是这样，也需要大约10天半的时间。

所以，唐代诗人杜牧在《过华清宫绝句三首（其一）》一诗中写道：“一骑红尘妃子笑，无人知是荔枝来。”至今荔枝中还有一个叫作“妃子笑”的品种，就是由此而得名的。

惠州罗浮山

罗浮山位于惠州市博罗县，有“岭南第一山”之称，是中国道教十大名山之一。

罗浮山的自然景观众多，集山、水、湖、瀑等于一体，文化内涵深厚，有寺、观、塔等人文景观。罗浮山有三大特色：奇峰怪石、飞瀑名泉、洞天奇景。

罗浮山有许多山峰，如飞云峰、铁桥峰、玉女峰、骆驼峰等，其中飞云峰海拔最高，因高耸入云而得名。山上还有许多处飞瀑名泉，如白漓瀑布、白水门瀑布、黄龙洞瀑布、白莲湖、长生井等。罗浮山上的洞天奇景也是一大特色，如朱明洞、蝴蝶洞、蓬莱仙洞等。

互动任务单

和爸爸妈妈一起采摘荔枝。

第四站：珠海市

过零丁洋

南宋 · 文天祥

辛苦遭逢起一经，干戈寥落四周星。
山河破碎风飘絮，身世浮沉雨打萍。
惶恐滩头说惶恐，零丁洋里叹零丁。
人生自古谁无死？留取丹心照汗青。

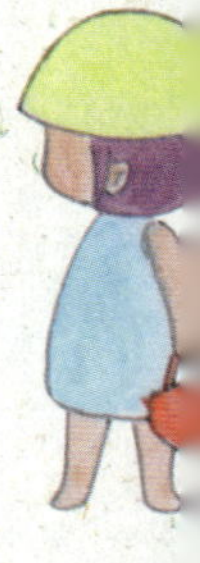

过零丁洋

南宋·文天祥

辛苦遭逢起一经，
干戈寥落四周星。

回想我早年间由科举入仕历尽辛苦，
从率领义军抗击元兵以来，
已经过了整整四年的困苦岁月。

山河破碎风飘絮，
身世浮沉雨打萍。

国家危在旦夕就像在狂风中飘散零落的柳絮，
我的身世动荡不安就像暴雨打击下颠簸沉浮的浮萍。

惶恐滩头说惶恐，
零丁洋里叹零丁。

从惶恐滩头撤离的险恶情景至今还让我惶恐心惊，
如今在浩瀚的伶仃洋里，
只能感叹自己的孤苦伶仃。

人生自古谁无死？
留取丹心照汗青。

自古以来人生在世，谁没有一死呢？
就让我留下这颗赤诚之心光照史册吧。

汗 青

古代人在竹片上写字用来记事，这种竹片就叫做竹简。制作竹简时，一般会选用上等的青竹，削成长方形的竹片，再用火烤竹片，让水分像汗一样渗出，一方面方便书写，另一方面避免虫蛀，最后再刮掉青皮。在“留取丹心照汗青”这一句中，“汗青”指代史册。

除了竹简，古代记载和书写的材料还用过动物皮、丝帛等，造纸术发明及改进之后，纸张慢慢地取代了这些笨重且制作工序复杂的材料。

外伶仃岛

外伶仃岛位于珠海香洲的东南部，是万山群岛中风格独特的一岛。岛上有山有水，四季如春，旅游资源丰富。

岛上的伶仃湾、塔湾、大东湾等区域，是垂钓、游泳、冲浪的好去处。岛上还有雾海仙槎（石景公园），内有嶙峋怪石，如海豹石、巨鲸石等。

在岛上缓步慢行，在静谧的小道上感受大自然的美妙，住在别具一格的民宿，或是选择在沙滩上搭帐篷露营，再品尝味道鲜美的海鲜，将会是难忘的回忆。

港珠澳大桥

港珠澳大桥位于我国伶仃洋区域内，东接香港特别行政区，西接广东省珠海市和澳门特别行政区，总长约55千米，就像一条巨龙飞腾在湛蓝的大海上。

港珠澳大桥是全世界总体跨度最长、钢结构桥体最长、海底沉管隧道最长的跨海大桥，也是迄今世界公路建设史上技术最复杂、施工难度最高、工程规模最庞大的桥梁。港珠澳大桥体现了我们国家逢山开路、遇水架桥的奋斗精神，体现了我国的综合实力、自主创新能力和勇创世界一流的民族志气。

从珠海出发，可以乘船观赏雄伟壮丽的港珠澳大桥，也可以乘车从桥上前往香港、澳门，欣赏沿途的美景。

互动任务单

你还知道哪些爱国诗人呢？给爸爸妈妈讲一讲他们的故事。

江　西

用全世界的美好欢迎路过的诗意

写在旅行前

印象中，江西是一个没什么特质的地域，

中规中矩，不突出也不落伍。

它既没有吴越地区江南水乡的明丽温柔，

也没有西北大地呼啸而过的苍凉的风，

更不像中原地区每走一步都可能踩着几千年历史。

然而，这样的地方，恰恰像我们路过的每一处风景，

就如滕王阁外的长江水，几千年来兀自流着、美好着、等待着。

不同于其他区域的诗意蓬勃，江西更像是生活的常态，

略高于生活，垫一垫脚都能摘到那一抹惊艳。

“初唐四杰”的王勃来了，“落霞与孤鹜齐飞，秋水共长天一色”，

唱响长江之滨，成为不朽之作。

“诗仙”李白来了，“飞流直下三千尺，疑是银河落九天”，

写尽庐山瀑布的美，留下传唱千古的诗篇。

苏轼来了，“不识庐山真面目，只缘身在此山中”，

道尽看景人与景中人的通透和欣喜。

有人路过，也有人被江西的美景留住——

中国第一位田园诗人陶渊明，

生于江西、长于江西、逝于江西，

他不愿为五斗米折腰，转而回归心之居所，

“采菊东篱下，悠然见南山”。

这些或踌躇满志、或心灰意冷的伟大诗人，

他们带着万千姿态路过，

给我们贡献了一首首千古名篇。

千百年来，江西就那么在那里等着，等着被人发现它的美。

它以包容开放的姿态，欢迎每一份美好，

拥抱每一份伟大，握手每一份浪漫。

惊鸿一瞥留下的动人诗句，它就好好地保存着。

我们不妨也带着轻松的心情，路过这些美丽的诗句，

路过这些美丽诗句描写的美景，路过诗人的路过。

这就是江西：用全世界的美好来欢迎路过的诗意。

旅行路线图

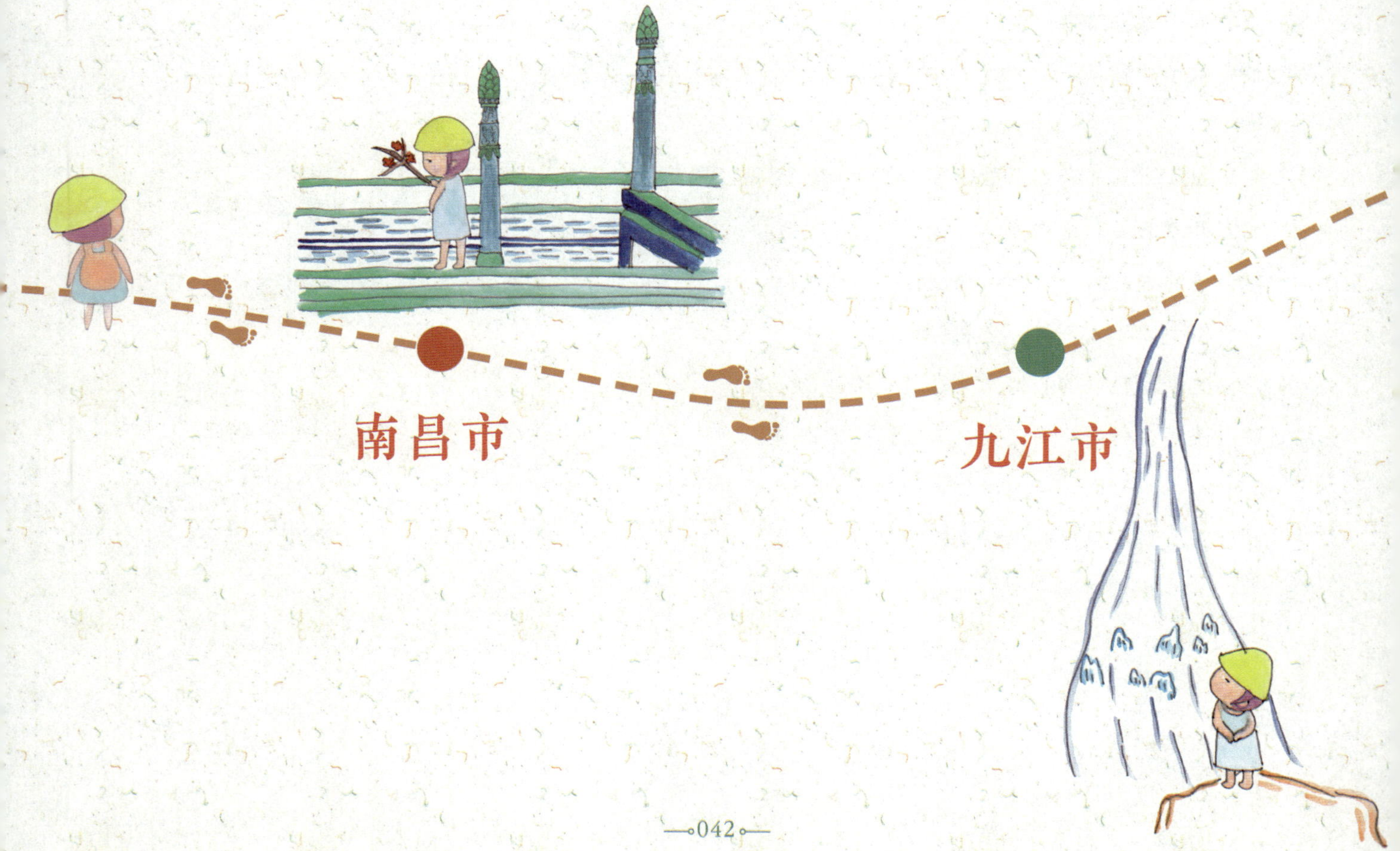

上饶市
抚州市

第一站：南昌市

滕王阁（节选）

唐 · 王勃

闲云潭影日悠悠，
物换星移几度秋。
阁中帝子今何在？
槛外长江空自流。

滕王阁（节选）

唐·王勃

闲云潭影日悠悠，

潭中白云的倒影每天悠然自得地漂浮着，

物换星移几度秋。

时光推移、景物变化，

不知已度过了多少个春秋。

阁中帝子今何在？

昔日游赏高阁的滕王如今身在何处？

槛外长江空自流。

只有那栏杆外的长江空自东流。

初唐四杰

王　勃

杨　炯

卢照邻

骆宾王

滕王阁

江西南昌滕王阁，位于南昌市西北部沿江路赣江东岸，与湖北武汉黄鹤楼、湖南岳阳楼并称为“江南三大名楼”。

滕王阁的一侧是赣江，一侧是太极广场，沿江边还有一些仿古建筑。从外观来看，滕王阁是一座三层带回廊的建筑，实际上内部有七层。一层一层地登上滕王阁，视野也越来越开阔，在顶层感受微风袭来的凉爽，好像一切烦恼都被忘却了。另外，别忘了在傍晚的时候感受王勃笔下“落霞与孤鹜齐飞，秋水共长天一色”的壮阔美景。

参观完滕王阁，还可以夜游赣江，看看夜晚被灯光照亮的滕王阁，看看美丽的南昌，舒适惬意。

互动任务单

和爸爸妈妈在滕王阁上看落霞，拍照留念。

第二站：九江市

归园田居五首（其三）

东晋 · 陶渊明

种豆南山下，草盛豆苗稀。
晨兴理荒秽，带月荷锄归。
道狭草木长，夕露沾我衣。
衣沾不足惜，但使愿无违。

望庐山瀑布

唐 · 李白

日照香炉生紫烟，
遥看瀑布挂前川。
飞流直下三千尺，
疑是银河落九天。

题西林壁

北宋 · 苏轼

横看成岭侧成峰，
远近高低各不同。
不识庐山真面目，
只缘身在此山中。

归园田居五首（其三）

东晋·陶渊明

种豆南山下，
草盛豆苗稀。

在南山下种植豆子，
结果地里的野草茂盛而豆苗稀疏。

晨兴理荒秽（huì），
带月荷（hè）锄归。

清晨早起去田地铲除杂草，
夜幕降临披着月色扛着锄头回去。

道狭草木长（zhǎng），夕露沾我衣。

狭窄的小路上草木丛生，傍晚的露珠沾湿了我的衣衫。

衣沾不足惜，
但使愿无违。

衣衫被沾湿并不可惜，
只希望不要违背我归耕田园的心意。

陶渊明——不为五斗米折腰

陶渊明生性耿直，清正廉洁，因不愿攀附权贵，与污浊的现实社会格格不入，自己的一腔抱负也无法实现。

为了生存，最初陶渊明做过一些小官，但因看不惯官场上的恶劣作风，他多次辞职，过着时而隐居、时而做官的生活。他四十多岁时，在朋友的劝说下再次做官。有一次，上面派人来视察工作，有人告诉陶渊明，要穿戴得整整齐齐、恭恭敬敬地去迎接，陶渊明听后长叹道：“我不愿为了这五斗的俸禄，就低声下气地向这些人献殷勤。”说完就辞官回家了，从此永远脱离了官场。

自此，陶渊明“不为五斗米折腰”的高风亮节，成为有志之士的楷模，为后世津津乐道。

陶渊明纪念馆

陶渊明纪念馆位于九江市九江县，为纪念东晋诗人陶渊明而建。馆内收藏展出了陶渊明生平活动路线示意图、照片、家谱、作品等，还有陶公墓、陶靖节祠、归来亭等景点。

望庐山瀑布

唐·李白

日照香炉生紫烟，

太阳照耀着香炉峰生出袅袅紫烟，

遥看瀑布挂前川。

远远望去，
瀑布就像是一条长河悬挂在山前。

飞流直下三千尺，

飞流而下的瀑布好像有几千尺，

疑是银河落九天。

像是银河从九天垂落到山崖间。

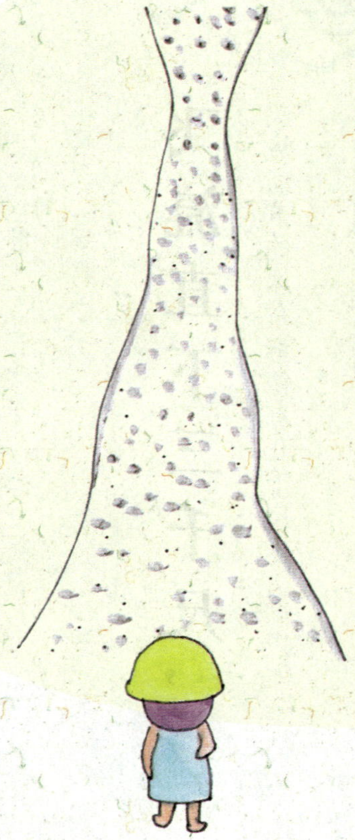

中国著名的瀑布

黄果树瀑布，位于贵州省安顺市，是中国第一大瀑布。

壶口瀑布，位于陕西省和山西省的交界处，是中国第二大瀑布，也是世界上最大的黄色瀑布。

德天瀑布，位于广西壮族自治区崇左市、中国与越南边境处的归春河，是亚洲第一、世界第四大跨国瀑布。

吊水楼瀑布（又称镜泊湖瀑布），位于黑龙江省牡丹江市，是世界最大的玄武岩瀑布。

诺日朗瀑布，位于四川省九寨沟，是中国最宽的瀑布。

庐　山

庐山位于江西省九江市庐山市境内，以雄奇险秀闻名，素有“匡庐奇秀甲天下”的美誉。游览庐山，可以在风景、文化、宗教、政治、教育、科学等方面进行选择，感受不同层次的庐山。

★诗词庐山：东林寺——黄庭坚《东林寺二首》、白居易《宿东林寺》、陆游《六月十四日宿东林寺》、李白《别东林寺僧》。西林寺——白居易《宿西林寺》、苏轼《题西林壁》等。

★红色庐山：仙岩饭店——南昌起义准备会议的旧址，芦林一号别墅——毛泽东同志曾在此工作生活，庐山大礼堂——庐山会议旧址，庐山442号别墅——周恩来在庐山的活动纪念室等。

题西林壁

北宋·苏轼

横看成岭侧成峰，

从正面看，庐山是连绵起伏的山岭，

从侧面看，庐山是耸立的山峰，

远近高低各不同。

从远处、近处、高处和低处看，庐山呈现出不同的姿态。

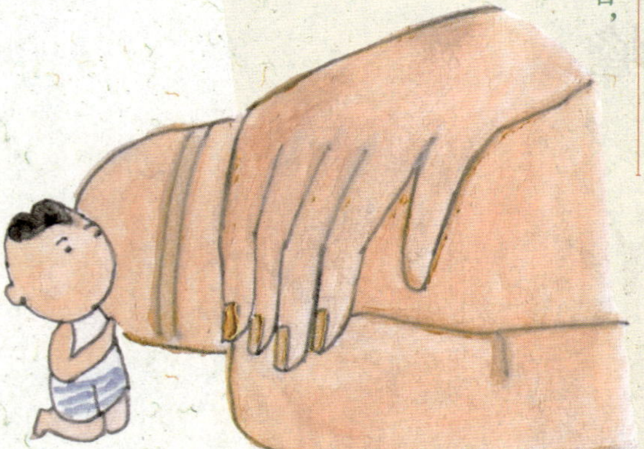

不识庐山真面目，

看不清庐山的真面目，

只缘身在此山中。

只是因为我身处庐山之中。

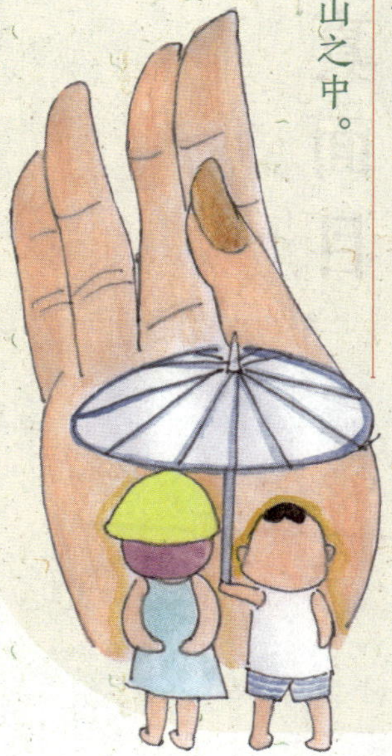

角度不同，结果各异

苏轼在《题西林壁》中写道“横看成岭侧成峰，远近高低各不同”，这两句诗说明，从不同的角度看事物，看到的结果是不相同的。找一个典型的事物来进行观察，比如从不同的角度看杨桃，会看到不同的形状。

所以，在看问题或者做事情的时候，要从实际出发，从不同的角度看问题，实事求是，不轻易下结论。

白鹿洞书院

白鹿洞书院位于庐山五老峰南麓，与岳麓书院、应天府书院、石鼓书院（一说为嵩阳书院）并称“中国四大书院”，白鹿洞书院曾一度被称为“中国四大书院之首”。

书院内的独对亭，是为纪念和赞颂朱熹而命名，意为朱熹的理学思想可以与五老峰相对。礼圣殿气势庄严，殿正中有孔子立像，是祭祀孔子及其门徒的地方。朱子祠在礼圣殿的右边，是祭祀朱熹的祠堂。明伦堂，原是书院的讲堂，是老师向学生传授文化知识、讲解伦理道德的地方。江西进士榜长廊，收录了江西各地历代进士一万余名。中国历代状元柱共六根，位于卓尔山的高美亭旁，柱上刻着了隋、唐、宋、元、明、清的状元名录。

互动任务单

和爸爸妈妈游庐山，从不同方向看庐山有什么不同呢？把它描绘下来。

第三站：上饶市

清平乐·村居

南宋·辛弃疾

茅檐低小，溪上青青草。
醉里吴音相媚好，白发谁家翁媪？
大儿锄豆溪东，中儿正织鸡笼。
最喜小儿亡赖，溪头卧剥莲蓬。

清平乐（yuè）·村居

南宋·辛弃疾

茅檐低小，
溪上青青草。

茅屋的屋檐又低又小，
溪边长满了翠绿的小草。

醉里吴音相媚好，
白发谁家翁媪（ǎo）？

带有醉意的吴地方音，
听起来温柔又美好，
那满头白发的人是谁家的老翁、老妇？

大儿锄豆溪东，
中儿正织鸡笼。

大儿子在溪东边的豆田里锄草，
二儿子在编织鸡笼。

最喜小儿亡（wú）赖，
溪头卧剥（bāo）莲蓬。

最喜欢的顽皮的小儿子，
正横卧在溪头的草丛中，
剥着刚摘下来的莲蓬。

认识辛弃疾

姓名：辛弃疾　字：幼安　号：稼轩

所处时期：南宋

代表作品：《破阵子·为陈同甫赋壮词以寄之》

《永遇乐·京口北固亭怀古》

《菩萨蛮·书江西造口壁》

作品特点：

1. 作品多倾诉壮志难酬的悲愤，或表达期望国家统一的爱国之情。
2. 作品风格慷慨悲壮、热情激昂，是南宋豪放派词人的代表。

中国最美的乡村：婺源

婺源，位于江西省上饶市，因其优美的生态环境和深厚的文化底蕴，被称为“中国最美的乡村”。婺源的徽州古村、油菜花田、篁岭晒秋……处处流露着田园牧歌般的诗意。

婺源是当今中国古建筑保存最多、最完好的地方之一。精致的屋顶，精雕细琢的木窗，华丽的门楼，深邃的天井，高雅气派的马头墙，都是徽派建筑的显著标志。

婺源篁岭入选“全球十大最美梯田”，每年春天，篁岭千亩梯田的油菜花绽放，美不胜收。

夏末初秋的婺源篁岭，“晒秋”的景象随处可见。长长的木架托起圆圆的晒匾，五颜六色的农作物，层层叠叠的民居村落，可以感受到别样的婺源。

互动任务单

婺源的马头墙是不是很有特色？你还记得它是什么样子吗？画在下面吧。

第四站：抚州市

江行无题一百首（其九十八）

唐 · 钱珝

万木已清霜，
江边村事忙。
故溪黄稻熟，
一夜梦中香。

江行无题一百首（其九十八）

唐·钱珝

万木已清霜，

秋天到了，树叶上已有寒霜，

江边村事忙。

江边的稻子成熟，农民们正在忙着收割。

故溪黄稻熟，

家乡苕溪两岸的稻子，
也应该成熟变成金黄色了吧，

一夜梦中香。

昨夜在睡梦中还闻到了稻谷的香气。

田地里的守望者——稻草人

农民伯伯们种田非常辛苦，但是每到庄稼成熟的时候，就会有很多鸟类飞来寻找食物，“偷吃”粮食，影响农民伯伯的收成。于是，聪明的农民伯伯就想了个办法，用稻草扎成一个一个的假人，给它们穿上衣服，戴上帽子，假装它们是人类，吓跑那些来吃粮食的鸟儿。这些假人便是“稻草人”。

稻草人，可以用来比喻没有实际本领和力量的人，也可以用来指代默默无闻、无私奉献的人。

《江行无题一百首》

钱珝，字瑞文，唐朝诗人。他是著名诗人钱起的孙子，唐文宗时的吏部尚书钱徽的儿子。钱珝曾由当时的宰相王抟推荐做官，但后来王抟被贬、被赐死，钱珝也因此受到了牵连，被贬为抚州司马。他的代表作《江行无题一百首》就是在其赴任抚州司马的途中所作。

《江行无题一百首》主要描写了长江两岸的秀丽风光，表达了作者对晚唐时期因战乱而受苦的民众的深切同情，同时抒发了诗人内心的高远情怀。

江行无题一百首（其九十七）

唐 · 钱珝

高峰有佳号，
千尺倚寒风。
若使炉烟在，
犹应为上公。

千古第一村——流坑古村

流坑古村位于抚州市乐安县，是国家级文物保护单位，有着一千多年的深厚历史文化底蕴，被誉为中国古代文明的缩影，有“千古第一村”的美誉。

流坑古村的古建筑保存完好，规模宏大，布局独特。民居建筑的古典优雅，宗祠建筑的壮观大气，庙宇建筑的别致素雅，文化建筑的丰富多彩……到处都展露着流坑古村的传统风貌。古建筑多为砖木结构的楼房，质朴简洁，但十分讲究建筑工艺，木、砖、石刻、彩画、墨绘、匾联，都意境深远。

流坑古村是古村文化的经典，是我国古典民居建筑中的明珠。

千古第一村

互动任务单

你喜欢流坑古村吗？你会用哪一句诗来形容流坑古村呢？

古诗词小旅行

"初唐四杰"是指哪四位诗人

后退两格

江西南昌滕王阁是江南三大名楼之一

"不为五斗米折腰"描述的是谁

庐山位于江西省九江市

前进一格

背诵《题西林壁》

辛弃疾是南宋豪放派词人的代表

"万木已清霜，江边村事忙"的后两句是什么

《清平乐·村居》的作者是辛弃疾

"媪"怎么读

白鹿洞书
是中国四
书院之一

游戏规则：①掷骰子，根据点数从起点前进相应步数。②根据格子上的提示前进或后退。

③格子上有问题时，回答正确方可停留，回答错误需后退一格。